我的 吸血鬼同學

16
唐三藏的劫難

創作繪畫・余遠鍠　　　故事文字・陳四月

目錄

迦南

擁有金黃魔力的人類少女。好奇心重，領悟力強，平易近人的她曾被黑暗勢力封印起她的魔力。現時是西方學園的學生。

安德魯

吸血鬼高材生。外形冷酷，沈默寡言，與迦南兩情相悅。曾因血癮而誤入魔道。

卡爾

胃口極大的人狼。是學園小食部常客，身材健碩，熱愛跑步，經常遲到的他和安德魯自小已認識。

四葉

來自東方學園的九尾妖狐少女。活潑好動而且十分熱情的她和卡爾有婚約在身。和迦南一樣，四葉也擁有金黃魔力。

阿諾特

吸血鬼一族的王子，是被寄予厚望的天才。追求力量和榮耀的他自視高人一等，對同樣被視為天才的安德魯抱有敵意。

唐三藏

東方學園的年輕教師，和迦南一樣是人類。法術高強的她美貌與智慧並重，心地善良以作育英才為己任。

孫悟空

在東方魔幻世界中無人不知的名字。失去記憶的他只知道自己要保護唐三藏，但為什麼變成了小猴卻是謎團。

右京

現存人數不多的忍者一族的領袖，不單法術了得，還天生具備獨特異能。曾經是獵人的他和丹妮絲關係密切。

金鈴

來自女兒國的特別導師，深受女帝愛戴和重用。足智多謀，而且心狠手辣，是盤絲洞蜘蛛女妖銀鈴的姐姐。

依娃

稀有的不死族妖魔，不老不死的她已經活了幾百年。被封印在魔法瓶子內的她仍相信總有一天能回到九頭蛇海德拉身邊。

鐵扇公主

來自帝都的特別導師，驍勇善戰巾幗不讓鬚眉，而且擅長烹飪。是和牛魔王指腹為婚的未婚妻。

白龍

來自四海的特別導師，也是四海龍王膝下的三太子，生性善良，熱愛和平。精通音律的他能在演奏樂曲的同時施展法術。

我的
吸血鬼同學

森林內，迦南受鹿力大仙所施放的迷煙影響而失去意識，**危急關頭**之際，依娃衝破了魔法瓶的封印。

「你的殭屍士兵呢？我早就想和東方的不死法術一較高下。」依娃面無懼色，她的白骨士兵已隨她召喚，破土而出。

「你身為**不死族**……為什麼要保護人類？」鹿力大仙感受到強大的壓迫力。黑魔法派最強幹部的魔力，果然非同凡響。

「我和這丫頭有點交情，你識趣的話，就立即離開。」依娃眼神凌厲，咄咄逼人。

「如果空手而回……會被師兄怪罪的。」鹿力大仙眼見任務快將失敗，正猶豫要否放手一搏。

然而暴雷閃現到依娃和鹿力大仙之間，徹底改變劍拔弩張的局面。

是你傷害了迦南嗎？

殺氣騰騰的安德魯伴隨暴雷降臨，紅色的瞳孔緊盯鹿力大仙。

「敵眾我寡……走為上著！」鹿力大仙心知不妙，施放轉移法術趁機離開。

「呼……幸好他知難而退。」待鹿力大仙消失後，依娃所操控的白骨竟隨即應聲倒下，她剛才原來只是虛張聲勢，安古蘭施加在魔法瓶的封印還未消失，依娃只是為了保護迦南而傾盡全力，短暫衝破封印，現在她已無力維持，回到了魔法瓶中。

> 小子，把我從迦南的口袋拿出來，我有問題要問你。

依娃說。

全靠依娃現身，迦南才安然無恙，安德魯只好尷尬的服從她的命令。

「剛才……謝謝你。」安德魯說。

你到底隱瞞著什麼？

「我能從你身上嗅到和那些妖魔道士一樣的殭屍氣息……若然你想傷害迦南，我是不會**袖手旁觀**的。」世上沒有永遠的敵人，隨著相處時間愈長，迦南和依娃的感情也愈來愈深厚。

「你誤會了，我當然不會傷害迦南……只不過，我可能要做出令她難過的事。」安德魯看見迦南還未醒來，決定把埋藏心底的秘密告訴依娃。

許多時候，面對最親密的朋友，我們更難說出心底話，對於安德魯來說，曾是黑魔法派一員的依娃，可能會理解安德魯的處境。

「**死者蘇生**可是禁忌中的禁忌，小子你知道自己在做什麼嗎？」依娃得知安德魯想要令雙雙復活後說。

她是我的救命恩人，就算機會微乎其微，我也有責任嘗試。

安德魯是雙兒和雙雙的最後希望。

「以唐三藏的性命來作**賭注**，不只迦南，整個魔幻學園也不會接受，你真的考慮清楚了嗎？」不死族是被世人遺棄的一群，依娃很清楚不被接納、與世界為敵的感受。

「就沒有一個方法，能令大家也得到幸福嗎？」安德魯難過地問。

安德魯抱起迦南回去和小猴與唐老師會合，他不知道能和迦南相處的日子還餘下多少。要守護這段關係，安德魯唯有**違背約定**放棄雙兒和雙雙，但這是他無法辦到的事情。陷入兩難局面的安德魯，每天也受著良心責備。

「安德魯！迦南沒大礙吧？」東方學園保健室內，得知好友遇襲，四葉、卡爾、愛莉和艾爾文馬上前來關心。

安德魯微笑著搖搖頭，受迷煙影響的迦南稍作休息後便會醒來。

「我們還準備了宴會，本想給你們一個驚喜的。」愛莉感到十分可惜。

「今天發生太多事了，我想在這裡靜靜陪著迦南。」安德魯強顏歡笑地說。

「安德魯，你的臉色很差，真的沒大礙嗎？」敏銳的獵人艾爾文，察覺到安德魯的異樣。

「沒有，只是有點疲倦罷了。」無法和好友坦白，的確令安德魯疲倦萬分。

「要吃東西補充體力嗎？我可以幫你燒雞翼呀。」卡爾還是只想到吃的。

「我們不要阻礙安德魯和迦南啦，大家快點離開吧！」識趣的四葉推著大家說。

四人離開之後，小猴**躡手躡腳**地來到安德魯身後，輕拍他的背部。

「怎麼了？」安德魯擠出勉強的笑容問。

「這個是給你的，謝謝你救了師父。」小猴把珍而重之的香蕉送給安德魯。

「本來我很討厭你的，你總是
散發一種古怪的氣息……」

「但你保護了師父，所
以……從今以後我就把你當做
好朋友啦！」小猴表情豐富，
而且愛恨分明。

「謝謝你……」小猴親切的表現，教安德
魯更感到愧疚。

「不用謝啦，好朋友是應該互相分享，互相關照的！」小猴開開心心的跳著離開。

「到底我⋯⋯應該怎麼辦？」安德魯輕握住迦南的手，回到思念的人身邊本應十分甜蜜喜悅，但現在他卻萬分痛苦。

東方學園教員室內，三位特別老師正在責備唐三藏老師，因為她這次帶領迦南到校外授課不只自己遇上危險，更危害了學生的安全。

「唐老師，短期內你不要再離開學園範圍了。」來自四海的白龍勸說。

「我們遠渡而來是為了確保你的人身安全，不讓你落入**心懷不軌**的人手中，你出外授課，豈不是正中對方下懷？」帝都的鐵扇公主生很大的氣。

「我明白了……只不過，授課地點我從未對別人透露過，就連迦南上課前也不知道，我想不通為何對方會發現，為何能有計劃地伏擊我們。」唐老師**思前想後**也得不到合理解釋。

「就算在學園內亦不一定安全吧，畢竟我們三個特別講師也是外人，說不定當中有人和妖魔三仙人有勾結呢。」來自女兒國的蜘蛛女

妖語帶嘲諷，說話的同時眼睛緊盯著鐵扇公主和白龍。

「**你說的話是什麼意思？是指我們想打唐三藏主意嗎？**」鐵扇公主脾氣火爆容易激動。

「三位**稍安勿躁**，我往後會小心行事的，待校長回來，我會再詳細上報。」唐老師穩住三人的情緒。來自三個敵對國家的講師，本來就互相看不過眼。

東方學園的校長久未現身，群龍無首的東方學園是不是一個安全的地方，這一點就連唐老師也不敢肯定。

◆第二章◆
吸血鬼的監護人

　　人界鬧市中，以咖啡廳**掩人耳目**的獵人公會分部內正進行嚴肅的對話，專業獵人丹妮絲下落不明，艾翠絲和阿諾特正向分部長報告狀況。

　　「分部長……師父**生死未卜**，我們該怎麼辦？」艾翠絲坐立不安。

　　「我會聯絡獵人總部分頭打聽丹妮絲的下落……落在右京手上，相信她不會有生命危險。」老邁的分部長憂愁的說。

右京和丹妮絲曾經是分部長的弟子，他看著兩人成長、相愛、分開，實在**感慨萬千**。

　　「師父不在，艾爾文又正在魔幻世界休假，你們暫時還是不要再進行調查，按兵不動吧。」人生**歷練不足**，分部長擔心兩人會遭遇不測。

　　「任務暫停，即是我可以自由行動了吧，本王子可是很忙的。」阿諾特不耐煩的說。

　　「你不隸屬公會，你的行蹤我無權過問。」分部長說。

　　「那就好了，艾翠絲，我們走吧。」阿諾特還有要事在身，要達成目標他必須爭分奪秒。

「且慢，艾翠絲，我能和你單獨聊一會嗎？」阿諾特**不受制約**，但艾翠絲是獵人，分部長還有事務交托給她。

「不要聊太久，我們還有地方要去。」阿諾特轉身離開，他已習慣無論去哪裡，艾翠絲也伴在他身邊。

待阿諾特離開後，分部長神情凝重，相比起丹妮絲的安危，他更擔心面前的兩位年輕人。

分部長**憂心忡忡**地說：「阿諾特近期越界的舉動，已引來獵人總部的關注，他的行為惹人非議，我擔心長此下去……他會踏上萬劫不復的絕路。」

分部長，雖然阿諾特時常觸碰法規，但他是出於好意的，亦幫助了很多有需要的妖魔……

艾翠絲緊張地說，她擔心阿諾特會被問責。

阿諾特行為高調，開罪了黑白兩道的人馬，遲早會遭受到報復；然而我最擔心的不只這樣……

分部長欲言又止說。

「你擔心的是……」艾翠絲問。

「現在的阿諾特，為了實踐心目中的正義，不惜成為惡人，但若然有天他越過了界線，失去心目中的善意，他將會成為公會必須鏟除的目標。」分部長語重心長，艾翠絲對此同樣心中有數。

「我希望你能在他身邊看守著他，到那一刻到來時，只能靠你說服他臨崖勒馬。」分部長對艾翠絲委以重任，因為阿諾特只接受艾翠絲在他身邊。

「就算分部長不說，我也不會放任阿諾特的……請你放心吧，我會好好擔當他的監護人。」艾翠絲想像過最壞的結局，為了阻止悲劇發生，她已下定決心。

「那就拜托你了。」分部長稍稍放心。

「男生們都像小孩子一樣，老是要人擔心呢。」艾翠絲現在不用看顧哥哥，卻要貼身照顧另一個大男孩。

分部長看著艾翠絲的背影，不由得想起年輕時的丹妮絲。阿諾特就像以前的右京一樣，為了理想不顧後果。可惜當日丹妮絲未能制止右京踏上不歸路，兩人就此**分道揚鑣**，分部長現在最希望的，是阿諾特和艾翠絲不用面對相同的命運，而是能有一個美好的結局。

艾翠絲步出咖啡廳後，發現不見了阿諾特，只有早前歸順了他的人狼奇洛在守候。

「阿諾特呢？」艾翠絲問。

「老大先行一步了，他命我把這份禮物交給你。」阿諾特已令黑狼組的眾人心悅誠服，把他視為**唯一的領導**。

「禮物？什麼來的？」艾翠絲接過禮物立即打開，阿諾特的行為總是難以捉摸。

奇洛打開車門，這輛黑色汽車是阿諾特新

添置的座駕。

「連身裙？阿諾特現在到底在哪裡？」
艾翠絲甚少穿著不方便跑動的裙子。

「老大說今天是值得慶祝的日子，他千叮
萬囑我要確保你換上新裝出席。」奇洛奉命行
事。

「唉呀……現在是值得慶祝的時候嗎？」
師父失蹤加上前路未明，艾翠絲沒有慶祝的心
情。

「當你到達目的地時，便會明白的了。」
奇洛邊打開車門邊說。

艾翠絲只好照辦，反正她現在最主要的工
作，是監視阿諾特的一舉一動，確保他不
會鑄成大錯。

第三章
龍與聖騎士

　　暫時放下獵人工作的艾爾文來到東方學園，這是他成為獵人後第一次休假，為的，是要見**心上人**一面。

　　「這裡是充滿了妖魔的地方……」艾爾文在荷花池外看著正在上專修課的愛莉，來到學園後，他感覺渾身不自在。

　　畢竟艾爾文是以對付違法妖魔為己任的公會獵人，逗留在充斥妖魔的世界，他當然感到不舒適。

　　「**艾爾文！**」愛莉在練習法術樂器的休息時間不時會向艾爾文笑著揮手，思念的對象遠渡而來，愛莉每天都心情大好。

哈哈……這樣真
的沒問題嗎？

　　艾爾文微笑揮手，
低聲自言自語。

　　人類和妖魔的跨
種族婚姻是少之又少
的事，雖然沒有明文
規定禁止雙方戀愛，但對個性認真又古板的
艾爾文來說，這是值得他深思熟慮的問題。

　　因為艾爾文的父親是葬身妖魔之手，他和
妹妹艾翠絲是在對妖魔的仇恨之中長大。

　　「如果……要愛莉做她的嫂子，
艾翠絲能夠接受嗎？」過分認真的艾爾
文已在為十分遙遠的事情煩惱。

　　煩惱中的艾爾文沒有留意到由水分凝聚而
成的金魚悄悄飄浮到他的身後。

有敵人！

　　意識到外來魔力近在咫尺，艾爾文立即拔劍轉身戒備。

　　劍尖觸碰金魚的瞬間，金魚便爆破起來，弄得艾爾文像被迎面潑了一大桶水一樣，徹底濕透。

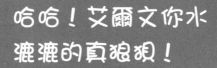

哈哈！艾爾文你水漉漉的真狼狽！

艾爾文出洋相的一面，
哄得愛莉**捧腹大笑**。
「這是什麼意思？」
艾爾文一臉無奈。

「抱歉，我見你一臉愁容，想跟你開個玩笑罷了。愛莉，我們暫停一會稍作休息吧。」文質彬彬的特別導師白龍微笑著說。

「四海的王子開玩笑的能力真了得，不知道你的實力又是否這麼出類拔萃呢？」艾爾文語帶雙關，目光如炬的他向白龍發起挑戰。

「艾爾文……白龍老師只是開玩笑呀。」氣氛突然緊張起來，艾爾文認真的表情更嚇倒了愛莉。

「素聞人界獵人本領高強，我也想見識見識。機會難逢，不如我倆就在此切磋交流，點到即止吧？」白龍雖然從容不迫，但魔力已在急速上升。

「榮幸之至。」艾爾文躍入荷花池站在一片荷葉之上。

「請賜教。」白龍說罷開始吹奏笛子，結合音律與魔力，驅動更多飄浮的水金魚。

「一觸即爆的障礙物嗎？看我如何破解你的把戲，魔尊靈召喚！」艾爾文召喚出傲雪冰馬，並把它融合到聖劍之上。

冰霜聖劍把水金魚 冰凍成冰 ，艾爾文
不用再顧忌金魚爆破，一邊揮劍一邊邁步向前。

眼見攻勢被瓦解，白龍吹奏出更激昂的音
樂，荷花池水如有生命力般向艾爾文伸出八爪
魚觸手。

「 石化煙霧彈 ！」艾爾文投擲出獵
人魔法道具，化解白龍的攻勢。

石化的觸手變得對艾爾文十分有利，他把
觸手當作踏腳點連續跳躍，眨眼間已來到白龍
面前。

白龍立即吹奏出刺耳的高音，向襲來的艾
爾文施放衝擊音波。

「轉移指南針。」艾爾文冷靜應對，在他
按下道具的一剎那，瞬間轉移到白龍身後。

「將軍。」艾爾文劍指白龍後背，宣示自
己的勝利。

「公會獵人果然身手了得，你的應變能力實在令我**大開眼界。**」白龍邊鼓掌邊說，但聲音並非來自艾爾文面前，而是荷花池外的愛莉旁邊。

「白龍老師！你是什麼時候站在這裡的？」愛莉嚇了一跳。

「從比試開始前。」白龍**胸有成竹**，由始至終他也立於不敗之地。

「原來我一直和水造的分身作戰也懵然不知⋯⋯這比試是我輸了。」眼前的白龍化作水蒸氣消散，艾爾文收起聖劍深感佩服。

「也不能這樣說啊，切磋交流最重要是互相學習嘛。」白龍友善的笑著說。

「你們都很厲害，難得兩人都無受傷，這次比試就到此為止吧！」看到艾爾文安然無恙，愛莉鬆了一口氣。

「但是⋯⋯」認真又固執的艾爾文還想繼續。

「沒有但是！老師，今天的課堂能提早結束嗎？」愛莉斥喝艾爾文。

「當然可以，難得**如意郎君**千里迢迢來到，你們就好好相聚一下吧。」白龍不只本領高強，還知情識趣。

「謝謝老師！你，跟我來！」愛莉跟老師道謝後，隨即拉著艾爾文的手急步離開。

「吓？你要帶我到哪裡呀？」艾爾文慌張的問。

不怕四海巨龍的艾爾文，最怕的是眼前嬌小玲瓏的美人魚。

「到哪裡重要嗎？重要的是和我一起才對吧？」愛莉瞪著艾爾文問。

從艾爾文來學園到現在為止，兩人都未有時間能夠單獨相處，好好相聚。

「說得對，那你來當我的導遊吧，遊覽這東方學園。」曾經艾爾文帶領愛莉走訪人界，現在**角色對調**了。

「放心交給我吧！雖然我來了東方學園也沒多久。」愛莉滿心歡喜，和艾爾文挽手步出輕快的步伐。

「呵呵，年輕人真是充滿活力呢。」看著兩人遠去後，白龍愉快的笑著說。

「白龍陛下！」鶴仙翁匆忙的趕到白龍面前。

「鶴仙翁滿頭大汗，是有什麼緊急狀況嗎？」白龍問。

「校長……校長終於回來了！」鶴仙翁欣

喜的說。

「當真？請你引領我和麒麟校長會面。」
白龍緊張的說。

領導東方學園的校長能在這充滿隱憂的時
刻出現，對一眾老師來說就有如**強心針**一
樣。

東方學園內亭台樓閣，*鳥語花香*，艾
爾文和愛莉只不過在輕鬆散步已能收獲美景，
自從在人界分別後，他們已很久沒有二人獨處，
艾爾文不禁感到緊張又尷尬。

你沒什麼話想跟我說嗎？

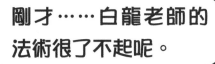

愛莉的個性比艾爾文主動得多。

剛才⋯⋯白龍老師的法術很了不起呢。

想不到話題，艾爾文支吾以對。

如果人狼卡爾的腦中只有食物，那獵人艾爾文的腦中就只有戰鬥。

不然又怎能夠來學園當老師呢？你沒有其他關於我的話想說嗎？

愛莉咄咄逼人。

例⋯⋯如呢？

艾爾文吞吞吐吐的說。

例如很想念我之類呀，難道你不是為了見我才來的嗎？

愛莉扁起嘴巴說。

當然是為了見你才來呀！

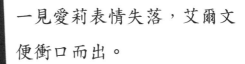

一見愛莉表情失落，艾爾文便衝口而出。

「嘻嘻，我家獵人最大的優點就是率直，不回信一事我就原諒你吧。」這強悍的獵人就此被愛莉收服。

「不過……愛莉你在東方學園過得愉快嗎？」放下**心頭大石**的艾爾文問。

「愉快呀，有什麼問題嗎？」愛莉問。

「這裡瀰漫著不尋常的氣息……總覺得有**圖謀不軌**的人潛伏在內。」專業的獵人必須具備敏銳而且準確的直覺，好讓他們洞悉先機，找出潛伏人界的壞妖魔。

特別在認識到安德魯等人後，曾經把妖魔統統當成壞人的艾爾文知道這是錯誤的觀念，所以對**分別善惡**的氣息進行了嚴格訓練。

「不會吧？或者你未習慣身處在充滿妖魔的地方，才有這種錯覺呢。」善良的愛莉不以為然。

「希望是我的錯覺吧，尤其是安德魯，總是散發著令人擔心的氣息……」相比起初次見面，現在的安德魯更令艾爾文有所提防。

「不要老是想著其他人的事啦！你就不能專心和我約會嗎？」愛莉**呷醋**了。

「也是呢……機會難得，我們就不要想太多吧。」艾爾文放鬆心情，他是為了見心上人

才特意休假的。

　　有人為重逢充滿煩惱，也有人為重逢甜蜜幸福。安德魯和艾爾文各自在心上人身邊，感覺卻是截然不同。

　　亦有人不知道重逢只是如海市蜃樓般的幻影──唐老師身邊的小猴，隨時會如泡沫般消失。

第四章
家庭

　　山區的一片草地上屹立著一棟老舊的教堂，雖然這教堂已日久失修，卻洋溢著幸福的笑聲。

「孩子們小心點，不要阻礙到人狼叔叔們工作呀。」鳥人露比帶著行李和她收養的孤兒到場。

「老大，把教堂改造成**大本營**⋯⋯真的無問題嗎？」黑狼組的人狼們充當建築工人，為這教堂進行翻新改造。

「有什麼問題？」氣定神閒的阿諾特問。

「老大你畢竟是吸血鬼嘛⋯⋯住在教堂天天看著十字架不是很**不吉利**嗎？」人類世界中流傳著吸血鬼害怕十字架之類的故事。

「笑話，我一向不迷信，我相信的從來只有我自己。」阿諾特狀態大好，他的王國已漸見雛形，人力資源亦愈來愈多。

阿諾特看著教堂深感滿意，這小小大本營現在雖然殘舊簡陋，但假以時日，他知道自己一定會有更多追隨者，甚至可以統領黑暗一方。

阿諾特，這教堂是什麼回事？你又在打什麼鬼主意？

　　艾翠絲氣沖沖的走向阿諾特，換上新衣裳的她盡現青春少女的風采。

　　「終於來到了嗎？你覺得怎樣？喜歡這裡的環境嗎？」阿諾特心情輕鬆愉快，他希望艾翠絲能分享他的喜悅，分享他的成就。

　　「擅闖他人物業，改造別人的建築物，這些行為是違法的呀！」艾翠絲緊張的說。

「我已經買下這裡了，要裝修還是翻新也沒人能過問吧？」阿諾特皺起眉頭說，他不喜歡這種像被質問的語氣。

「買下？寶石換到的錢不是花光了嗎？你從哪裡得到這麼大筆錢？」艾翠絲不以為然，繼續追問，但她斥罵般的態度已令阿諾特快步遠離。

「老大為我們找到工作，而且報酬可觀，這教堂是他買下來安頓大家的，好讓大伙兒不用再過流離失所的生活。」人狼奇洛代阿諾特解釋。

「什麼工作？」艾翠絲生怕暴力集團重操故業會招致獵人追捕。

「是擔任保鑣，保護重要人員的工作。」人狼體魄強健，奇洛等人也樂意效勞。

「那……為什麼要買下這教堂？這裡佔地甚廣，應該不便宜吧？」艾翠絲四處張望後問。

「這裡前身是教會經營的**孤兒院**，雖然荒廢已久，但設施只要稍作維修就能使用，老大是因為幼兒眾多而挑選這裡的。」鳥人露比說，她領養的孩子加上黑狼組的小孩，小童人數已超過二十人。

「原來如此……」艾翠絲感覺自己錯怪了阿諾特，他比自己想像的能幹而且**成熟**。

「老大他等你已經很久了，他說你未回來就不可以開始慶祝，其實他很期待你對他的努力會作出什麼反應。」戀愛經驗豐富的露比，看出這兩位少年少女的心事。

「我……」艾翠絲低下頭來，她發現阿諾特花的**一分一毫**也是為大家著想，除了她身上穿著的漂亮衣裳。

「菲蕾，去把那邊的垃圾清理掉。」阿諾特心情不好，板起面孔說。

「但我只是個小孩子啊。」小貓女菲蕾說。

這裡以後就是大家的家園，無論大人還是小孩都要出一分力。

這是阿諾特的教育方針，親力親為，絕不推卸責任。

「知道老大！」

小菲蕾乖乖聽命。

「阿諾特……」艾翠絲追上了阿諾特。

「又怎麼了？你還有什麼不滿意嗎？」遭受連番追問，阿諾特感到不是味兒。

「不……我只是想問你……」艾翠絲一反常態，吞吞吐吐，欲言又止。

「什麼？」阿諾特盯住艾翠絲問。

「我這樣穿搭……好看嗎？」艾翠絲
穿著阿諾特挑選的衣裳，當然想知道他的評價。

「啊……比平
常好看……因為是
我親自挑選的嘛，
我的眼光當然是無
庸置疑的！」艾翠
絲的一席話改變了

剛才不愉快的氣氛，阿諾特看到她少見的少女
害臊的一面，立時不知如何反應。

「既然人齊了，可以開始派對了吧？」露比笑說。

「開始吧，為慶祝新的生活，今天大家盡情**吃喝玩樂**吧。」阿諾特回復笑容，黑焰貴公子雖然在地下世界人見人怕，但在他信任的人面前，也不過是位渴望認同的少年。

教堂外的草地上**歌舞昇平**，追隨阿諾特的大伙兒

有了安樂窩，他們吃著到會美食，慶祝這值得紀念的大日子。

「我從未在人界見過這樣的景象，妖魔們如此輕鬆，暢懷歡笑。」艾翠絲感觸的說。

「因為你是以獵人的身份看著他們，追捕他們。並不是所有逗留人界的妖魔都**圖謀不軌**的，他們當中有很多也和你們人類一樣，需要協助，需要扶持。」在阿諾特眼中，人類和妖魔只不過是種族的代名詞。

「你能答應我一件事嗎？」艾翠絲凝望著阿諾特。

　　「**儘管說**。」阿諾特看著他組織的新家庭，眼神充滿著希望。

　　「無論發生什麼事也好，保持你現在的心境。」艾翠絲知道阿諾特的本性是善良的。

　　「可以，但有一個條件。」阿諾特與艾翠絲**四目交投**。

「我在人界的日子裡，你要一直留在我身邊。」阿諾特表情認真，說的話令艾翠絲面紅耳熱。

「為⋯⋯為什麼？」阿諾特誠懇的態度令艾翠絲一時**手足無措**。

「不然在我生氣的時候，我可不肯定能控制住自己的情緒，**胡亂放火**的。」阿諾特嬉笑著玩弄手中的黑火焰。

「我會開槍打你的啊！」艾翠絲以手指擺出射擊的姿勢。

「老大！我們來影一張**大合照**，掛在教堂大廳吧。」鳥人露比揮著手說。

「我們過去吧，你也是這家庭的一份子。」阿諾特牽起艾翠絲到大伙兒中央。

這大合照在不久之後還是會一直高掛在教堂大廳上；

但相中人，卻未必再能全員聚首一堂。

第五章
囚牢

　　麒麟校長和龜仙翁副校長回到學園後，第一時間便是和老師們進行緊急會議，唐老師把這段時間所發生的事一五一十向校長報告，包括殭屍襲擊學園以及三國的亂局。

　　「我不在的日子裡，有勞各位守護學園了，特別是三國派來的三位導師，實在感激不盡。」校長說。

　　「校長，這段日子你到底去哪裡了？關於小猴的身份，我有很多問題想問你。」唐老師牽著小猴的手，自從見過小猴變身成孫悟空後，她便確信小猴就是她朝思暮想的孫悟空。

　　「我接到消息指馬氏一家慘遭滅門，所以前去一探究竟……東方境內還有其他家族城鎮遭受到妖魔三大仙襲擊，可惜我捉拿不到

他們，只知道他們想引發戰爭，破壞東方三國的平衡。」校長嚴肅的說。

「唐三藏老師屢次遇到襲擊，我們相信對方意圖奪走她體內的**聖舍利**，聖舍利是強大的魔力結晶，落入壞人手上後果不堪設想。」四海的代表白龍說。

「唐三藏必須受到嚴密保護，但我們三國互不信任對方，能信賴的就只有東方學園這個中立的地方。」帝都代表鐵扇公主緊盯著蜘蛛女妖金鈴說。

「聽聞東方學園有一棟名為『望月樓』的高塔，不如在確定唐三藏的**人身安全**前先把她安頓在那裡，由校方派人保護吧。」金鈴看出鐵扇公主對她充滿敵意。

「校方的守衛可靠的話，就不會有殭屍襲擊的事發生啦，而且我最不相信的是你，你出的主意特別令我懷疑。」鐵扇公主對女兒國的

人很有戒心。

「既然如此⋯⋯除了校方的保安外，我們三人也參與其中吧，以兩人一組的方式分別在三個時段鎮守望月樓吧。

先由我和鐵扇公主，再輪到鐵扇公主和金鈴小姐，最後是我和金鈴小姐，這樣就能起到互相監察的功用。」白龍提議出公平的方案。

「的確是好方法，唐老師你意下如何？」校長問。

小猴緊握如意金剛棒守在唐老師前面。

「不要！為什麼要把師父關起來？我不允許！」

「大家言之有理，如果我逗留在學生附近，反而會危害學生安全。」一想到迦南還在保健室休養，唐老師便深感自責。

「就這樣決定吧，在局勢好轉之前，無論是教職員還是學生，任何人等，均不得進入望月樓。」校長發出嚴正聲明。

「但是……這豈不是要我和師父分開？我不願意！我要親自保護師父！」小猴萬般不情願，無奈他必須接受現實。

「你無法隨心所欲變回孫悟空的話，留在唐三藏身邊又有何用呢？不如把握時間，跟我們找出破解封印之法吧。」鶴仙翁說，現在校長和副校長已回歸校園，他的說法十分有理。

「我也希望小猴你能早日破解封印，回想起我們一起的記憶。」唐老師輕撫小猴的臉頰，眼神充滿期待。

「我⋯⋯我能變身的話，就能回師父身邊嗎？」小猴忍住眼淚，他知道自己不是師父所期待的悟空，但他需要力量，只有力量才能帶領他回到唐三藏身邊。

「當然，齊天大聖絕對是最可靠的戰力，有孫悟空坐鎮，一定沒有人敢打唐老師的主意，但在你成功之前，唐老師就交給我們吧。」白龍安慰著說。

師父，你要等我。

小猴含淚目送
唐老師離開。

唐老師將會被暫
時禁足在望月樓內，
受嚴密保護；小猴首
要的任務，是想辦法
像之前一樣爆發出強大
魔力，重現**齊天大聖**的威風。

保健室內，迦南終於醒來，除了受到迷煙的影響外，身體各處並無大礙，經過檢查後已能復課。

「你沒事實在太好了。」**忐忑不安**了一整晚，安德魯總算能鬆一口氣。

「嗯……」身體無恙，但迦南的臉色卻很差。

「我不應該和你分開行動的，是我失策了。」安德魯還是很自責。

分別過的兩人，本應更珍惜能待在對方身邊的時間。

「不是你的錯呀，而且大家現在平安無事，已算是**不幸中的大幸**。」迦南強裝出笑容說。

「我送你回宿舍吧，你還需要多加休養。」安德魯留意到迦南的異常。

抱歉，我現在……
想獨處一會。

但現在迦南不想正面
面對安德魯。

我明白了，我去看看卡爾
那笨蛋在做什麼，畢竟我
和他亦久未見面。

安德魯借故離開，識
趣的給予迦南空間。

迦南其實很想留在安德
魯身邊，但她有**難言之隱**；
而這隱情，一直緊貼在她身
邊的依娃卻很清楚。

中央擂台上，激烈的比武再度上演，經過一段時間的專修課堂後，卡爾和牛魔王心急的想分享自己的成果，兩人再次過招。

拳來腳往，牛魔王的身手明顯比過去更乾淨俐落，行雲流水的攻勢一浪接一浪，就連耐力驚人的卡爾亦感**應接不暇**，處於下風。

「你這傢伙進步了很多呢……」氣喘的卡爾決定暫停稍作休息。

「你的身手也敏捷了不少。」牛魔王禮讓謙虛，在特別導師金鈴的指導下，他的實力突飛猛進。

「牛魔王大哥不愧是我們東方學園的首席！人狼你又輸了啦！」豬八戒和沙僧興高采烈的說。

「早知道我也一起修讀金鈴老師的課，我的導師授課的進展很慢呢！」卡爾看到擂台外，金鈴老師一直留意著他們的比試。

「金鈴老師不只教學，對學生的健康也十分上心，她對我進行的**針灸治療**大大提高了我的身體質素，就算苦練一整天也不覺疲累。」牛魔王的進步，全賴來自女兒國的特別導師。

「要是同學們有需要的話，也可以來找我接受治療，就算不是我的學生也無所謂。」金鈴的一席話引起全場哄動，學生們都踴躍報名。

「要用針刺進身體嗎？豈不是超級痛苦？」卡爾其實很怕針筒之類的尖銳物。

「輕微的刺痛吧，你要試試嗎？」牛魔王說。

「**免了……我最討厭打針的。**」卡爾搖搖頭說。

然而這一切被安德魯看到了，和銀鈴相似的名字，和銀鈴相同的針灸醫術，他猜到在盤絲洞時銀鈴所提及的姐姐，就是他眼前的特別導師。

「為什麼……銀鈴說的**內應**，會是女兒國的人？」安德魯知道銀鈴有認識的人在校園內，能協助他帶走唐三藏，但她沒有說過那人的真正身份，是深得女帝重用的女兒國成員。

「女帝、秘卷下半部、銀鈴和金鈴……還有知道我秘密的羊力大仙……如果這些人都是一伙的話……」安德魯愈想愈覺得不妥，像是一直任人擺佈卻又懵然不知。

突然衝上擂台的小猴吸引了所有人的目光。

「孫悟空前輩？你找我所為何事呢？」牛魔王視孫悟空為偶像，所以對小猴恭敬有加。

「**我們來打一場吧！**我要變成孫悟空，只要能變身，我就能再次回到師父身邊！」小猴激動得眼泛淚光，為了達成目的，他不介意弄得*遍體鱗傷*，就算他只是個分身幻影，也在所不計。

「恭喜你們新居入伙，你現在是地下世界的名人了，阿諾特。」的老闆娘——蜂后前來道賀。

「既然是來道賀，你不會兩手空空，沒有準備賀禮吧？」阿諾特前進的步伐沒有減慢，建立大本營不過是他的起點。

「你要的東西我已經準備好了。」蜂后搖晃手上的文件夾說。

然後阿諾特示意進入教堂詳談，他們的對話不適宜被年幼的小妖魔們知道。

教堂內，阿諾特接過文件快速翻看，奇洛和露比兩位**骨幹成員**也在場守候，艾翠絲十分擔心，因為阿諾特的表情十分兇惡。

「請問⋯⋯這一份文件是什麼來的？」艾翠絲問。

「是根據阿諾特的意思所整理出來的黑名單。」蜂后在人界**人脈甚廣**，她所知道的地下非法買賣比獵人公會所知的更多。

「這份黑名單記錄的，全是我無法容忍的壞傢伙。當中的人類也好、妖魔也好，也必須**鏟除**！」阿諾特要建立自己的王國自然會制定自己的規則，違反他標準和規則的都不能容忍。

「我已經把可能和忍者右京相關的人物標起來，雖然未必有直接關係⋯⋯但有一件事很值得你們留意。」蜂后走到阿諾特面前，翻開令她特別上心的一頁。

「為什麼這孩子手背上的石頭⋯⋯和我們在礦場發現的發光水晶這麼相似。」艾翠絲看著相中人說。

照片中央一個年約十歲的小女孩眼神空洞，她的兩手背上鑲嵌著發光水晶，週圍站著為數不少穿著西裝的壯漢，受嚴密看守。

「她是地下世界最近的**大紅人**，很多富豪商家爭著輪候她的服務。」蜂后說。

「什麼服務？」鳥人露比疼錫孩子，她能看出相中小孩十分痛苦。

「聽聞她的占卜結果十分準確，就連各大企業實行重要決策前都會先詢問她的意見。」蜂后受阿諾特委托，當中和忍者右京以及妖魔三大仙有關連的特別需要注意。

「我們在地下賭場內拾到的**魔力大炮**，亦裝上了同樣的水晶，總覺得有人在利用這種水晶盤算著什麼壞事情。」艾翠絲覺得這種巧合很不尋常。

「凡是擁有發光水晶的人都肯定和殭屍礦場的**幕後黑手**有關，我們的下一個目標，就是這小女孩。」阿諾特不會放過黑名單上的每一個目標。

「但對方只是個小孩子，你打算怎樣做？」艾翠絲擔心的問。

「那就視乎這孩子，能給予我什麼答案。」阿諾特的宗旨是絕不對婦孺動用武力，但世途險惡，並不是所有人也能堅守原則到最後。

人界一棟豪華別墅內，一位來自東方魔幻世界的大人物正翹首以待。

　　「還要本皇后等多久？」女兒國皇后——鳳禧穿著人界的服裝坐在沙發上。

「快了快了⋯⋯還請女帝耐心稍等多一會兒。」虎力大仙恭敬的侍候女帝，眼前的女帝鳳禧是他的尊貴客戶。

「是你說這人的占卜萬試萬靈，不然我真的不會在這裡浪費時間。」女帝不耐煩的說。

虎將軍和一隊貼身侍衛喬裝成普通人類，陪伴女帝微服出巡到人界，女帝表面上是來購買服裝、品嚐美食，實際上她是為交易而來。

「正因為她料事如神，等候占卜的人才會這麼多，女帝身份尊貴，所以特別安排為你插隊，優先服務。」虎力大仙說。

「真的有這麼準確的話，你們的殭屍大軍怎會被人燒毀掉？我一統三國的計劃都被你們打亂了。」女帝不滿的說，阿諾特的舉動在無意間阻止了一場浩劫。

「老夫的確一時疏忽了，但只要唐三藏身上的聖舍利到手，再多殭屍我也能為女帝奉上。」但危機尚未解除，虎力大仙沒有放棄目標。

「這就最好不過，若然再**節外生枝**，休怪本皇后對你不客氣。」鳳禧說著的同時，四名黑衣壯漢護送著她期待已久的占卜師到場。

「這小孩子就是你所說的占卜師？」鳳禧大感意外。

「沒錯，她就是深得僱主重用的占卜師。」虎力大仙得意的笑著。

黑衣壯漢每個都背著魔力大炮，大炮上發亮的 **水晶** 和小女孩雙手上的一模一樣，吸引了鳳禧的目光。

「你的僱主到底在盤算什麼？」就連位高權重的鳳禧，也不曾見過虎力大仙背後的大老闆。

「無可奉告，女帝不是對未來很感興趣嗎？不如利用這次機會，占卜一下這場戰爭的結果吧！」虎力大仙不願透露更多。

「小孩，來告訴我吧，在不久的將來我能成為戰爭最後的勝利者嗎？」鳳禧對人界的事不關心，她只想掌控東方魔幻世界。

小女孩**戰戰兢兢**的伸出雙手，她握住鳳禧的手後閉上了眼睛，水晶感應到鳳禧強大的魔力後發出耀眼奪目的紅色光芒，待光芒消失時，小女孩乏力的跌坐地上。

「快告訴鳳禧大人你到底看到什麼吧。」虎力大仙說。

「火……鳳凰的火，在大地熊熊燃燒……」小女孩**氣喘吁吁**，剛才她接觸鳳禧的瞬間，腦海浮現出的景象就是占卜的結果。

「是吉兆呀！看來女帝的計劃一定會馬到功成。」虎力大仙邊拍掌邊說。

女帝鳳禧對占卜的結果其實半信半疑，但對於有利的、討好的話語，任何人也樂於接受。

　　「快點準備好殭屍軍隊進行交易吧，我已經沒有耐性繼續等下去了。」鳳禧微笑著離開，只要得到不死軍方的協助，打破三國平衡就不是難事。

　　虎力大仙樂見這樣的結果，但他不知道此刻在別墅之外，正有人監視著屋裡的一舉一動。

黃昏時分的女子溫泉區內，只有迦南一個人在浸泡著。在東方魔幻世界，溫熱的泉水有治療作用，但迦南的身體無恙，出問題的是她掙扎不已的**內心**。

「安德魯那小子都回來了，為什麼你還**愁眉苦臉**？」浮在泉水上的瓶中依娃問。

「依娃……你在黑魔法派的時候，常常與世人為敵，這是什麼樣的感覺？」迦南問。

「沒有特別感覺呢，只要能待在海德拉大人身邊，只要能幫助到他，我就心滿意足了。」依娃邊回味邊說。

「就算會被世人唾罵，就算要違背良心也滿足？」迦南一臉苦惱。

「我又不是為了討好世人而活，世人也沒有為我做過什麼，為什麼我要在意他們？」依娃順理成章的話，令迦南一時間無法反駁。

「由始至終，只有海德拉大人重視我、信任我，能成為他的助力就是我的人生意義，我相信海德拉大人和安德魯一樣大難不死，只是躲藏起來養尊處優。」依娃有著強大的信念，對自己的目標、自己的夢想，十分明確。

「我真的很羨慕你……」本來迦南也以為自己已找到人生目標，加上安德魯平安回來更是十全十美。

「迦南你……該不會是聽到我和那小子的對話吧？」依娃問。

「迷煙只不過令我動彈不得，以及眼睛睜不起來，但是你們的對話……我全部都聽到了。」迦南閉上眼睛，一想起安德魯失蹤時候的經歷，她就**淚如雨下**。

「我很想親口向拯救安德魯的姊妹道謝，也很同情她們的遭遇，只要能夠救活那個叫雙雙的小女孩，我在所不辭……但是……」迦南既感激又難過，因為她了解安德魯。

「但是不能以唐老師的性命作賭注來救活別人……就算要違背對她們的承諾，就算要辜負她們的恩情，也不可以……不可以傷害這麼善良的唐三藏老師。」迦南能理解到底安德魯的內心有多掙扎。

但**忠義兩難全**，要拯救雙雙，就等同加害無辜；放手不理，又違背了承諾，再加上雙兒和雙雙對安德魯的救命之恩，這恩情根本無以為報。

兩者皆違背安德魯的良心，但他卻必須從中選擇一方，安德魯現在有多痛苦，迦南完全能切身感受到。

因為他們經歷過太多，無論是甜蜜還是苦難，他們也一起走過，迦南更一度以為已失去了這*靈魂伴侶*。

「那你打算怎麼辦？要是那小子真的向唐三藏出手……你會阻止他嗎？」依娃問。

「我⋯⋯」所以得知安德魯的秘密後，迦南不懂如何面對。

　　「你要知道打唐三藏的主意，不單只會得罪學園，東方三國也不會**袖手旁觀**的。」依娃說。

　　「我不知道⋯⋯」迦南**苦煞思量**也想不到兩全其美的解決辦法，她只能祈求壞事不要這麼快發生，祈求她和安德魯能有美好的結局。

　　中央擂台上，小猴和牛魔王已比試了將近一小時，人潮散去，部分學生跟隨金鈴接受針灸治療，餘下來也不忍繼續觀看這殘酷的畫面。

「繼續……我還未認輸……」

小猴遍體鱗傷，屢敗屢戰的他，眼神還是充滿鬥志。

戰況一面倒傾向牛魔王，無法爆發出孫悟空真正力量的小猴只是一次又一次挨揍。

我怕繼續下去，你的身體會吃不消，還是擇日重賽吧⋯⋯

牛魔王**不忍心**弄傷小猴，無奈小猴堅持己見，卻一直無法變身。

「但是……我還未能變成孫悟空，不可以就此停下。」小猴依靠金剛棒再度撐起。

「你本人就是孫悟空呀，只是暫時控制不了力量罷了，到底你在**心急**什麼啦？」卡爾問。

「我……我其實……」小猴欲言又止，沒有人知道他其實只是孫悟空的分身。

「我們走吧，別和他糾纏下去啦。」卡爾和牛魔王一同離開。

小猴的心事**無人知曉**，他氣沖沖的奔跑到湖邊呆坐，就算筋斗雲想哄逗他，他也不為所動。

看著湖水倒映出來的自己，小猴不禁眼泛淚光。

「為什麼……我不是孫悟空？」

小猴對唐三藏的感情是真的，是和孫悟空的一樣真誠，但是他的身份卻是虛假的，這教小猴**痛苦不堪**。

　　「小猴，你為什麼獨自在哭泣啦？」一直旁觀的安德魯坐到小猴身旁。

　　「我沒有哭……這……這些都是汗來的。」小猴逞強說。

　　「就算是男孩子，也是可以放聲大哭的，因為我們同樣脆弱。」安德魯也十分難過，他只是在迦南面前裝作若無其事。

　　安德魯的話令小猴嚎哭起來。

　　關係愈是親密，有些說話愈難以啟齒，因
為不想對方擔心、不想對方難過。

「安德魯……」良久，小猴才開口說話。

「嗯。」安德魯躺在草地上，日落西山，只餘泛紅的圓月。

你可以幫我保守一個秘密嗎？

小猴想要能信任、能傾訴的對象。

「**可以。**」秘密哽在心裡的感覺，安德魯身同感受。

「我⋯⋯不是孫悟空。」小猴說。

「怎會呢？大家都親眼目睹過你回復本來的面貌。」安德魯坐直身子認真聆聽。

「我只是他的**分身**⋯⋯真正的孫悟空在充滿殭屍的山洞遭遇圍攻，在危急關頭製造了我這分身，給予我保護師父的使命。」小猴的記憶只有這麼多，然後他就被帶到東方學園，遇到了唐三藏。

「所以⋯⋯你沒法隨意變身孫悟空。」要捉拿唐三藏，孫悟空是**最大的難關**，但現在安德魯知道了小猴其實不是那位齊天大聖。

「唔⋯⋯自從變過一次身後，帽子的封印力量便變得更強⋯⋯我身體的力量卻愈來愈弱，若再強行變身，可能會加快我消失的速度。」小猴這個分身，終有一日要迎接消失的命運。

「殭屍山洞……真正的孫悟空遭到妖魔仙人的毒手，無論是雙兒和雙雙，還是唐老師……大家也因為那幫人而受苦。」安德魯抓住胸口，他壓抑住激動的情緒，害怕著血癮因為激動而再次爆發。

　　「老大，他們正在動，我們要現在行動嗎？」人狼奇洛問。

　　「不，人數比我預期的多出太多了。」女帝和貼身侍衛的出現，打亂了阿諾特的計劃。

　　「怎算好？要眼白白看著他們離開嗎？」機會難逢，艾翠絲擔心就此失去線索。

　　「那女妖魔散發的魔力**非比尋常**，現在開戰的話，我不擔保大家能全身而退，身為首領必須大局為重，撤退吧。」阿諾特沈著冷靜，這是領導者應有的風範。

　　「那小女孩……我能感覺到她很痛心，她很需要幫助。」艾翠絲表情失望，比起線索，她更擔心小女孩的安危。

91

「不要說得我像個**冷酷無情**的傢伙一樣，我又沒有說過棄她不顧，只不過不是現在罷了。」阿諾特沒有令艾翠絲失望。

「吓？」艾翠絲兩眼發亮。

「露比已暗中跟蹤載著那女孩的車輛，我們待深夜時分，護衛減少後再行動吧。」阿諾特此舉除了避免和女帝交鋒之外，還有一個重要原因。

殭屍礦場、魔力大炮、會占卜的女孩，三者的共通點都是發光的水晶，直覺告訴阿諾特唯有追蹤小女孩的藏身之處，才能揭開遮蓋真相的神秘面紗。

人界中，一個遠離市中心的發〈電〉廠，這裡的外圍被重重鐵網包圍，更有守衛定時巡邏。

「老大，這裡就是目標人物的所在地。」全靠鳥人露比跟蹤汽車的行蹤，才發現這據點。

「有多少守衛在戒備？」阿諾特等人潛伏在樹林策劃攻勢。

「以我在空中盤旋觀察，在外面的已有六人。」露比說。

「裡面能數算到的，已不下十個……」艾翠絲透過**無人機**偵查敵陣，人類科技配合妖魔互助互補。

「老大，守衛大多是人類，我只嗅到一種妖魔的氣味……但那氣味很微弱。」人狼奇洛用靈敏的鼻子辨別敵人。

「阿諾特……」這是艾翠絲最擔心的狀況。

「我知道，不能殺害人類，不能對人類使用**過度武力**嘛。」阿諾特很清楚。

人界獵人公會的法律都定立於保護普通人類的基礎上，任何情況下傷害不會魔法的普通人也會觸犯公會的法則。

大家聽著，我們的主要任務是接觸那雙手有發光水晶的女孩，並查明這裡的真面目，非必要的武力盡量避免。

阿諾特不想為難艾翠絲，
兩人的身份始終有別。

可是在人界的妖魔，卻沒有得到保障，像收藏家挪亞般殘害妖魔的人**比比皆是**，對此艾翠絲無能為力，阿諾特卻試圖作出改變。

「但若然生命受到威脅就必須正當防衛，你們的人身安全，比一切也重要。」阿諾特表情認真的說。

「明白！」眾人異口同聲說。

黑狼組的五名成員，加上鳥人露比和艾翠絲，阿諾特率領八人直闖**龍潭虎穴**。

發電廠內部實際上是一個實驗工場，喬裝成常人不會接近的發電廠，有利於他們進行**不可告人**的研究。

「博士，實驗進度如何？」忍者右京皺起眉頭看著閉路電視的畫面，小女孩被囚禁在一個一片空白的密室內。

「唔……除了實驗體零號外，其他實驗體對發光水晶都有強烈的排斥反應，無一倖免。」光頭博士說。

「老闆對研究十分重視，這實驗到底是成功還是失敗？」右京**殺氣騰騰**的問。

「現在下定論為時尚早，我需要更多實驗體，進行更多次實驗。」光頭博士不在乎右京的感受。

「你的意思是，要活捉更多小孩子來做實驗嗎？」右京十分憤怒，他的僱主為了達成自己的目的草菅人命，這違反了他的意願。

「老闆看中這實驗的潛力，只要實驗成功，世上再沒有不會使用魔法的人類，這可是劃時代的**創舉**呀！」光頭博士對實驗感到自豪。

「為此就算犧牲多少性命，也在所不惜？」右京卻難以接受。

「對，我們都是**奉命行事**，別忘記我們是能被替代的，在老闆眼中我們只是棋子。」光頭博士說。

右京沈默不語，他知道自己在助紂為虐，但為了復興忍者一族，他選擇了一錯再錯。

「有⋯⋯有入侵者！」慌張的守衛前來通報，因為黑火焰正在實驗工場肆虐。

「入侵者？」光頭博士調控閉路電視的影像，阿諾特一行人已解決外面的守衛進入實驗工場。

「又是那吸血鬼和公會的獵人⋯⋯」右京凝視著影像中的阿諾特。

「若被獵人公會抓到就麻煩了，要儘快燒毀證據，準備撤離⋯⋯」光頭博士連忙刪除電腦中的實驗記錄。

「你還呆著幹什麼，快去準備把那妖魔帶走，她才是這實驗工場**最重要的資產**！」光頭博士斥喝。

這實驗室內，隱藏著比人體實驗更不能曝光的秘密。

「右京，我們……真的要繼續幫助這班人嗎？」忍者櫻花和佐之助**心中有愧**。

「實驗工場很快會開啟自毀程序，你們試試去救那女孩吧。」右京有更重要的任務，實驗品女孩已淪為可有可無的棋子。

被發現的阿諾特一行人加快了腳步分頭行事，他們要找出小女孩，並查明這神神秘秘掩人耳目的實驗工場，到底在搞什麼見不得光的事。

「阿諾特，是這裡！」和阿諾特同行的艾翠絲以儀器探測到異常強大的魔力，很快就找出可疑的密室。

阿諾特使勁拉扯，上鎖的門被瞬間扯破。

「找到了。」艾翠絲看見惶恐的小女孩正瑟縮一角。

「別靠近我……」小女孩手上的發光水晶一閃一閃的在發亮。

「不用怕，我們是來帶你離開的。」艾翠絲收起武器想要步近。

「不要⋯⋯我控制不了⋯⋯」

小女孩眼泛淚光，身體抖動得十分激烈。

「老大，情況不妙，為數不少的守衛也拿著魔力大炮！」黑狼組的成員各自遇上危機，魔力大炮的威力遠超他們想像，被直接擊中的話後果**不堪設想**。

「看來除了大炮，這些傢伙還造了不少有趣的玩具呢。」阿諾特**凝神貫注**那些從後接近的敵人，他留意到面前的守衛戴著設計獨特的拳套。

「不想死的話就放開那女孩。」守衛的拳套上裝備了發光水晶，他奉命帶走實驗品女孩。

阿諾特揚手一揮，黑火焰隨即襲向守衛。

就算是受過軍隊訓練的人類，面對吸血鬼本應毫無**還擊之力**，但這一雙拳套卻顛覆了這個事實。

黑色的火焰被守衛的揮拳衝破，乘勝追擊的守衛差點殺阿諾特一個措手不及。

「博士的研究沒有錯，只要有這雙手套，妖魔根本不足為懼。」守衛步步進迫，阿諾特邊迴避邊退後，但再退一步，就會撞上正在安撫小女孩的艾翠絲。

「***最大能量輸出！***」守衛抬高大手，準備揮舞全力的一擊。

「黑焰霧化！」千鈞一髮之際，阿諾特全身化作黑火焰，穿過守衛的身體。

「這本來是留來對付右京的招式，想不到竟用在對付區區凡人。」拳套絲毫無損，但守衛已倒地不起，阿諾特驚嘆人類的科技竟有如此神奇的威力。

「是誰躲在暗處？別再當縮頭烏龜了⋯⋯出來受死！」阿諾特沒有掉以輕心，兩名忍者顯露身影。

「警報，警報，**自毀程序**已啟動，請工作人員馬上撤離。」實驗工場響起警報。

「自毀程序？你們到底想隱瞞什麼？」阿諾特愈來愈覺得事情並不簡單。

「實驗工場很快就會爆炸，你們還是儘快帶這小女孩離開吧。」女忍者櫻花不忍小女孩受苦，決定違抗右京的命令。

「笑話⋯⋯應該逃跑的是你們！」然而阿諾特不打算放過出現在他面前的任何敵人。

「阿諾特！這孩子⋯⋯」小女孩控制不了發光水晶**潛藏的魔力**，艾翠絲無法靠近，只好向背後的阿諾特求助。

「嘖⋯⋯」阿諾特收起了怒火，放任佐之助和櫻花離開。

如果是以前的阿諾特，他會毫不猶豫作戰到底，但現在艾翠絲的喊話，對他舉足輕重。

「情況如何？」爆炸**倒數**已經開始，阿諾特必須把握時間。

「她的魔力會自動襲向所有接近她的人。」艾翠絲曾試圖接近，雙手也被小女孩的魔力弄傷。

「這實驗工場快撐不住了，大家立即過來和我會合！」**情況危急**，阿諾特肩負起保護眾人的責任。

黑火焰席捲雲霄，阿諾特不作保留，成為團隊的路標，黑狼組的成員和露比看到火柱立即前往會合，而阿諾特昂首闊步走向魔力失控的小女孩。

「不用怕，憑你的力量是傷害不了本王子的。」阿諾特知道小女孩不想傷害別人，失控的魔力令她感到害怕。

大哥哥，我只是個失敗的實驗品……請你們儘快離開吧……

　　小女孩被當成實驗品，從未有人照顧她的感受。

　　「老大，時間無多了。」全員集合在此，距離實驗工場爆炸只餘下**十秒鐘**。

　　「你的名字叫什麼？」阿諾特受黑火焰保護，成功走近小女孩向她伸出了手。

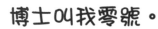

小女孩握住了阿諾特的手。

「從今天起，你就是我們的一分子了，以後就叫你小零吧。」阿諾特釋放出全部魔力，黑火焰進一步擴張，包圍他的所有同伴。

「黑焰巨盾！」

　　實驗工場爆炸的一瞬間，黑火焰築起了強大的保護網，這是阿諾特首次為保護別人而傾盡全力。

龐大的實驗工場只餘下頹垣敗瓦，受阿諾特保護的眾人成功脫險，雖然證據盡毀，但阿諾特成功拯救了一個生命。

　　「老大真厲害……這樣的爆炸也能抵擋得住。」人狼奇洛驚訝的說。

　　「阿諾特！你沒受傷吧？」艾翠絲緊張的跑向站立不穩的阿諾特。

　　「沒有，只是力氣花光，有點疲勞罷了。」雖然力竭筋疲，但阿諾特臉上掛著微笑。

　　「讓我就這樣睡一會可以嗎？」阿諾特昏倒在艾翠絲懷中，傾盡全力的感覺令他十分滿足。

　　小女孩得救了，艾翠絲等成功毀滅了敵人的一個據點，這一次行動也算是圓滿結束，看到阿諾特為拯救別人而奮力，她既安心又安慰。

艾翠絲對阿諾特有了信心，分部長所擔心的壞事不會發生，她和阿諾特一定不會分道揚鑣。

　　日落西山的教堂內，昏睡了差不多一天的阿諾特終於甦醒過來，艾翠絲在這段時間一直守候在側，不知不覺的睡在阿諾特床邊。

　　「阿諾特……不要受傷。」艾翠絲說著夢話。

　　「是在擔心我嗎？」阿諾特伸手向艾翠絲的臉龐。

不知不覺間，**黑焰貴公子**作出了改變，變得會體諒和關心別人，變得想要珍惜和人的關係。

「**老大！**」小貓女菲蕾牽著小零吵鬧的奔跑到阿諾特面前。

「進入大人的房間時記緊敲門。」阿諾特停下動作**正經八百**的說，艾翠絲也被小女孩們嚇醒。

「老大，我可以和小零做朋友吧？她以後會和我們一起生活吧？」菲蕾熱情的問。

　　「這就要看當事人的意願了。」阿諾特把選擇權交給小零。

　　「但我⋯⋯不是普通人。」小零看著自己手上的發光水晶畏縮起來。

　　「你是自由的，無論想在這裡生活還是離開，你也有權自己做決定，而且這家庭的成員全部都不普通，你可以放心在此生活。」

阿諾特不要做一個強人所難的**暴君**，他的追隨者都是心甘情願留在他的左右。

　　小零默默點頭，菲蕾高興得牽起她手舞足蹈，艾翠絲看著阿諾特欲言又止，房外又來了打擾他們的人。

　　「老大，我有重要的事要單獨對你說。」鳥人露比神情凝重，在實驗工場爆炸前，她看到**難以置信**的事。

　　「那……我待會再來看你吧，小朋友們跟我一起出去，不要阻礙大哥哥啊。」艾翠絲識趣的牽起兩個孩子離開。

　　「我在實驗工場爆破前，發現右京鬼鬼祟祟帶著一個儀器離開……」露比吞吐著說。

　　「儀器？」阿諾特皺起眉頭問。

117

「儀器內，一名妖魔沒有知覺躺在裡面。」

令露比難以置信的，是妖魔的身份。

「那妖魔是誰？」阿諾特問。

「九頭蛇海德拉。」露比說。

外界一直以為海德拉已葬身黑洞魔法之中，解散後的黑魔法派成員也不知道這事實，更難以想像這位**名震天下**的大魔頭，竟落入人類的手中。

　　另一邊廂，小零接觸到艾翠絲的手後，能預知未來的占卜能力突然發動起來，嚇得她鬆開了艾翠絲的手。

「怎麼了？」艾翠絲問。

「大姐姐你……很討厭大哥哥嗎？」小零問。

「不算討厭吧，為什麼這樣問？」艾翠絲對阿諾特的感覺愈來愈複雜，挺身保護眾人的阿諾特在她眼中**格外帥氣**。

「那為什麼……你會開槍傷害大哥哥？」

小零看到的未來中，艾翠絲和阿諾特並沒有開花結果，反而**兵戎相見**。

當艾翠絲以為一切正向好發展之際，或者悲劇已經準備隨時上演。

　　盤絲洞內，殭屍女孩雙雙還在冰封之中靜止不動，姐姐雙兒**寸步不離**一直守候在旁。雙兒無計可施，她只能夠等待，等待安德魯帶著唐三藏回來，完成秘卷下半部的復活之法。

　　「雙雙，你要支持住啊，安德魯一定很快就會帶唐三藏到來。」雙兒強忍著淚水，她相信妹妹能聽到她的說話。

　　「你還記得每逢冬天也不願起床，還要穿著很多厚重的衣服，弄得自己像個不倒翁嗎？」雙兒邊回味邊說。

　　「你這麼怕冷……現在一定很辛苦吧？」冰封中的雙雙**木無表情**，但雙兒似是感應到妹妹的心靈。

「雙雙能有你這麼愛惜她的姐姐，實在是**三生有幸**。」銀鈴為雙兒送來熱粥，就算沒有食慾，雙兒也要進食支撐起身體。

「我⋯⋯只是盡做姐姐的責任，在這世上我已沒有其他親人了。」雙兒失落的說。

「我也有一個姐姐，她曾經也像你一樣溫柔而且善良，是我最重要的人。」銀鈴說罷難掩悲傷的表情。

「為什麼說是曾經呢？」雙兒問。

「姐姐她聰明伶俐，而且勇敢外向，她年紀輕輕已離開盤絲洞，在大城市闖出了名堂。」**醫術高明**的盤絲洞蜘蛛女妖，不只銀鈴一個。

「不幸她遇人不淑，愛上了一個欺騙她感情的**壞男人**。」銀鈴繼續說。

「因此……姐姐不再相信男性，對男性**充滿憎恨**。」看著雙兒和雙雙，總是會勾起銀鈴對姐姐的回憶。

「就在那時候，姐姐她遇上了改變她人生的人，那人狠狠教訓了欺騙我姐姐感情的男人，還把他困進監獄，過上奴隸般的生活。」銀鈴懷念那時的姐姐，如果能換回那溫柔的姐姐，她不計代價。

「那個人是誰？」雙兒聽著感到害怕，銀鈴的眼神**殺氣騰騰**。

「女兒國的女帝鳳禧。」銀鈴說出令雙兒不寒而慄的名字。

「姐姐追隨女帝後便開始性情大變，她扼殺了自己的溫柔，拋棄了過去的自己……變成了女帝擴張勢力的工具。」銀鈴把一直隱瞞的真相說出。

「你們⋯⋯是女兒國的人？」
雙兒驚訝不已，她以為早已逃出女帝的掌心，
怎料一直以來她都活在女帝的爪牙身邊。

　　「姐姐一定是被鳳禧的特殊法術所操控，
才會變成這樣，只要我把唐三藏交給她，一定
能換回我溫柔的姐姐。」銀鈴對此深信不疑，
但世上最可悲的，莫過於**自欺欺人**。

　　「動⋯⋯動不了。」雙兒驚覺四肢不受操
控，原來自己早已跌入蜘蛛網中。

深夜時分，紅紅的滿月散發詭異不祥的氣息，就像預示**腥風血雨**的慘劇即將發生。

「在最近發生的這些事裡，我到底⋯⋯是不是遺漏了什麼？」小猴離開後，安德魯還獨自坐著整理思緒。

安德魯愈想愈覺得不妥，特別是銀鈴身邊的雙兒和雙雙，她們的處境令安德魯坐立不安。「拯救了我和雙兒雙雙的銀鈴，還有出現在學園的特別導師金鈴，如果這不是巧合⋯⋯如果這一切都和女兒國有關⋯⋯」安德魯感覺自己像個**提線木偶**，被一雙無形的手在任意操控。

「要冷靜，在這種時候更需要冷靜。」身在東方學園的安德魯若血癮發作，後果不堪設想，因此他無時無刻在警戒著。

聲音從上方傳來，蜘蛛女妖金鈴現出真身。
「**你的目的到底是什麼？**」
安德魯退後戒備。

和你一樣，女帝需要的是唐三藏身上的聖舍利，讓殭屍復活。

金鈴一躍而下，眼神銳利而且充滿敵意。

又是殭屍……你們和妖魔仙人是一伙的？

安德魯已猜到背後的關聯。

「沒錯，你們會在盤絲洞遇上我的妹妹，會被魔獸包圍襲擊，全都在我計劃之內。」金鈴洋洋得意，一直把安德魯玩弄於股掌之中。

「你們全都是騙子……」因為那次襲擊，雙雙不惜耗竭魔力保護了安德魯。

「馬家姊妹真的很可憐，竟然為了一個和自己沒有關係的男人而走投無路……你沒有資格說我是騙子，欺騙她們感情、利用她們的你才是真正的騙子！」金鈴怒斥安德魯。

「回到學園的你只想著和別的女生風花雪月，把為你赴湯蹈火的馬家姊妹拋諸腦後，你該不會……由始至終也不打算捉拿唐三藏，拯救雙雙吧？」金鈴每一句說話也擊中安德魯內心的痛處。

「我……」安德魯無法反駁，在堤壩缺堤的一役，他本可以捉走魔力耗盡的唐三藏，但他沒有這樣做。

「我早就知道男人全部都信不過，所以命銀鈴在你身上埋下銀針，以備不時之需。」金鈴露出猙獰的笑容。

安德魯大為震驚，他以為這短時間沒有發作全是銀鈴的功勞。

「針灸是無法阻止血癮發作的，能阻止血癮的，從來就只有靠你自己的**意志**。」金鈴竊笑著說。

「針灸治療，全都是為了讓我操控你的身體而做的。」金鈴舉手投足之間，安德魯感覺到全身不受控制，就連聲音也無法發出。

金鈴是深受女帝鳳禧重用的愛將，因為她**心狠手辣**，為達成目的不擇手段，從未令女帝失望。傀儡經已齊集，金鈴今晚就要上演她籌備已久的好戲。

望月樓外守衛整齊排列，鐵扇公主和白龍站在前方看守這前往望月樓的唯一橋梁。

「白龍，四海是**講信用**的國家，我們帝都願意相信你；但是女兒國的人……我信不過，妖魔三大仙四出尋找殭屍軍隊的買家，我最擔心的是……女兒國的女帝已和他們達成交易。」鐵扇公主說。

「能得到帝都的信任實在是我國的榮幸，對於女兒國……我不敢猜想太多，只是我不明白妖魔三大仙為什麼想要**天下大亂**，他們的動機為何？」和平是難能可貴的成果，白龍想不透對方的真正意圖。

「啊！是我的未婚夫牛魔王大人，他一定是怕我寂寞前來探望我！」鐵扇公主看見不遠處牛魔王的身影，於是奔跑向情郎的方向。

「牛魔王大人，你是不是很掛念我呢？」鐵扇公主獻上深情擁抱。

「牛魔王大人？你……你弄痛我了。」但牛魔王木無表情，兩手使勁抱得鐵扇公主動彈

不得。

「怎麼了？」白龍察覺到不妥欲上前查看，怎料一個白色的身影急速降落在他面前。

「我認得這位同學，名字好像是⋯⋯安德魯？」白翼張開，白龍清楚看到安德魯的面貌。

鮮血飛濺開去，安德魯的利爪以迅雷不及掩耳的速度直刺入白龍的腹部。

「白龍！牛魔王大人，你快放開我吧⋯⋯」白龍應聲倒地，鐵扇公主想上前迎救也束手無策。

望月樓的守衛看到白龍倒下紛紛擺好架勢準備迎戰，但更多的學生正從牛魔王身後衝向望月樓，面對著學生，守衛們都猶豫著不知如何應對。

金色的絲線控制著學生的身體，那些接受過針灸治療的學生統統變成傀儡，蜘蛛女妖金鈴要在這鮮紅滿月下大開殺戒。

雖然我不能進去看師父，但總能送香蕉給她吃吧？

　　手抱香蕉的小猴正想前往望月樓，眼前的一幕徹底嚇倒了他。

　　滿手鮮血的安德魯朝望月樓前去，小猴意識到唐三藏會有危險，急速上升的魔力再次衝破帽子上的封印。

　　「安德魯！我把你當做好朋友……你……到底想幹什麼！」齊天大聖孫悟空再現真身，以金剛棒直指向安德魯。

為了心愛的人，安德魯可以**犧牲性命**，但他從未遇過擁有相同情感、相同意志的對手，齊天大聖將要和安德魯展開生死之戰。

我的吸血鬼同學

望月樓外大戰一觸即發，孫悟空和安德魯大打出手，
迦南得知真相後又會作出怎樣的選擇？

鋒芒太露的阿諾特終於被獵人公會盯上，
從總部而來的特派獵人誓要阿諾特付出沈重代價。

vol.17　　2023年1月出版

創造館2022年
注目新作品

武術世家 況佑南

電腦奇才 西門學

傭傭兵 凌東

醫生 任北辰

延續華麗校園風格，
貴族與庶民之間的
友情與愛情輕喜劇！

聖誕節壓軸登場
敬請期待

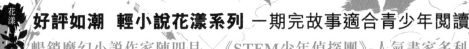

好評如潮 輕小說花漾系列 一期完故事適合青少年閱讀

暢銷魔幻小說作家陳四月 ╳ 《STEM少年偵探團》人氣畫家多利

身為男子漢的我竟然也讀到鼻酸；女生們看小心會哭！家有主子的絕對會愛上這本！

創造館館主余兒

那隻報恩黑貓是帥氣死神

好評推薦！

當你救了一隻黑貓，多年後他變成一個帥哥以身相許……單是想像，已經令人全身發熱的溫暖奇幻佳作！

知名青少年小說作家天航

出續集就好了！

讀者scoqiuko

我睇到喊！後面超級虐！

讀者ZC Bella

陳四月/

「寫這甜蜜故事害我血糖嚴重超標，應該是我目前為止所寫甜度Lv最高的文了……」

多利/

「以少女的細膩筆觸，繪畫出如此跌宕生姿的浪漫愛情是我夢寐以求的事。好想被抱在摩卡懷裡喔……」

死神組織的信條是：
死亡是靈魂學習的必經過程。

無論是行善積德的，還是惡貫滿盈的，死亡都會無差別的降臨到人類身上。

但——帥氣的黑貓死神摩卡，卻為了拯救他生前的主人舒雅，一而再、再而三的違反工作守則。即使要與高高在上的死亡之神為敵，他也決意要逆轉注定的厄運！

全書1期完　經已出版　每冊港幣$78

綠野仙蹤
✦奇幻物語✦

桃樂絲與叔叔嬸嬸居住在堪薩斯州的大草原上，
有一天，龍捲風把屋子連同桃樂絲和小狗托托一起捲走。
她們來到了一個叫奧茲國的奇幻仙境，並認識了稻草人、鐵皮人和膽小獅。
為了實現各自的願望，她們結伴一起去找奧茲大法師，踏上了冒險旅程。

魔法物語，從此展開！

我的吸血鬼同學

創作繪畫	余遠鍠
故事文字	陳四月
策劃	YUYI
編輯	小尾
設計	siuhung
實景	張耀東
出版	創造館
	CREATION CABIN LTD.
	荃灣美環街 1-6 號時貿中心 6 樓 4 室
電話	3158 0918
發行	泛華發行代理有限公司
	香港新界將軍澳工業邨駿昌街七號二樓
印刷	高科技印刷集團有限公司
出版日期	2022 年 11 月
ISBN	978-988-76143-7-1
定價	$68
聯絡人	creationcabinhk@gmail.com